D1543762

Cuisine Friande

VIANDES GRILLÉES

la margelle

VIANDES GRILLÉES

30/11/2005

L'édition originale de ce livre a été réalisée par Hamlyn
une marque de Octopus Publishing Group Limited

© 1998 Octopus Publishing Group Limited
© 2000 ML Éditions pour l'édition française

Tous droits réservés.
Aucune partie de cet ouvrage ne peut être reproduite, stockée dans un système quelconque
ou transmise par quelque moyen que ce soit, électronique, mécanique, photocopie,
enregistrement ou autre, sans la permission expresse du détenteur des droits de copyright
et de l'éditeur.

Photographies : Hillary Moore
Conseillères éditoriales : Lucy Knox et Sarah Lowman

Pour l'édition française
Réalisation : Atelier Gérard Finel, Paris
Traduction / adaptation : Valérie Morlot
Mise en pages : Sylvie Chambadal

ISBN 2-7434-1548-7

Imprimé à Hong Kong

Sommaire

Les viandes grillées

Faire griller la viande est une des meilleures façons, et parmi les plus saines, de l'apprêter. C'est également la plus ancienne : depuis la préhistoire, l'homme se délecte des fumets et des saveurs de la viande cuite sur le feu. Croustillante et dorée à l'extérieur, tendre et juteuse dans la bouche, la viande grillée est encore meilleure si on peut la faire cuire dehors l'été, au barbecue. C'est le plat idéal pour un repas de famille ou une fête improvisée, et on l'apprécie partout et à toute heure – dans le jardin ou sur la plage, sous le soleil ou à la lueur des étoiles.

Encore un point en faveur des grillades : pas besoin d'être un grand cuisinier pour les réussir. Le temps de cuisson est l'élément essentiel : la viande ne doit jamais être trop cuite. Pour le reste, suivez les instructions de ce livre, et c'est le succès assuré !

Les clefs d'un barbecue réussi

Le barbecue doit être chaud
Si vous utilisez un barbecue extérieur à charbon, allumez-le une heure avant de mettre la viande à cuire : il aura ainsi le temps d'être bien chaud. Quand les flammes diminuent, que les braises sont rouges et recouvertes d'une légère poussière de cendre grise, le barbecue est prêt et vous pouvez faire cuire la viande. Si vous vous servez d'un barbecue à gaz ou électrique, allumez-le 5 minutes avant. Dans tous les cas, la grille doit être très chaude, pour que la viande soit saisie et retienne ses sucs.

À garder sous la main
Quand vous faites un barbecue, ayez toujours deux bols à portée de main : l'un rempli d'eau au cas où il vous faudrait éteindre une flamme soudaine, l'autre de marinade, de beurre fondu, d'huile ou d'une sauce, avec lesquels vous badigeonnerez la viande pendant la cuisson.

À la bonne température
La viande doit toujours être à température ambiante. Sortez-la du réfrigérateur une heure au moins avant de la faire griller. Si la chaleur est uniforme, la cuisson sera régulière. La viande surgelée doit être complètement décongelée avant d'être grillée.

La qualité fait tout
Pour les grillades, la viande doit être de toute première qualité. Vous pouvez griller des viandes très diverses : viande de bœuf, viande hachée, côtelettes de porc ou d'agneau, poulet, veau, gibier ou saucisses. Essayez d'avoir des morceaux de la même taille : la cuisson sera ainsi homogène.

Préparez la grille
Afin d'éviter que la viande attache en cuisant, enduisez la grille du barbecue de graisse ou d'huile avant de poser la viande. Vous pouvez aussi placer la viande sur un papier d'aluminium ou sur un plat en aluminium à poser directement sur les braises.

Essayez les marinades

La marinade ajoute des saveurs à la viande et l'attendrit : ne jetez pas le restant de marinade, vous en badigeonnerez la viande en cours de cuisson, afin qu'elle reste tendre. Vous pouvez également utiliser de l'huile ou du beurre.

Utilisez des pinces

Il ne faut jamais piquer la viande pendant qu'elle cuit : le jus risque de couler et la viande se desséchera. Plutôt que d'un couteau ou d'une fourchette, munissez-vous d'une pince à long manche pour retourner les morceaux.

Le sel

Ne salez jamais la viande avant de la faire griller. Le sel fait sortir le jus et dessèche la viande, qui sera alors moins tendre. Vous salerez juste avant de servir, au goût de chacun.

Surveillez la cuisson

Gardez toujours un œil sur le barbecue pendant la cuisson, afin d'éviter que la viande brûle ou soit trop cuite. Une poussée de flammes peut provoquer un désastre culinaire et transformer des morceaux de choix en morceaux de charbon !

Protégez-vous

Les accidents n'arrivent pas qu'aux autres. Il faut prendre des précautions et se protéger lorsqu'on est près du barbecue. Munissez-vous de gants de cuisson et d'ustensiles à long manche afin de vous protéger les mains et les bras.

Le poulet

Une des façons de parvenir à une cuisson parfaite consiste à cuire la volaille en morceaux ou à l'étaler en crapaudine sur le gril, côté carcasse vers le bas d'abord : les os agissent alors comme des conducteurs de chaleur ; quand ce côté est cuit, retournez le poulet et faites-le griller, jusqu'à ce que la chair soit cuite et la peau croustillante.

Servez immédiatement

La viande est meilleure quand elle vient directement dans l'assiette. On ne peut pas la réchauffer, et elle durcit en refroidissant.

La grillade

Le procédé de la grillade consiste à cuire la viande en l'exposant à une source de chaleur directe et vive. Afin que la viande conserve ses parfums, il est impératif de disposer d'une chaleur intense et de procéder rapidement à la cuisson. Si le gril n'est pas assez chaud, vous n'arriverez pas à saisir la viande, et si elle n'est pas croustillante, le jus s'écoulera. Le bœuf, l'agneau et le gibier doivent être saisis : pour cela, on place les pièces de viande assez près du feu et on les retourne rapidement. Par contre, le porc, le poulet et le veau, qui demandent une cuisson plus lente, sont à placer un peu plus loin du feu.

Organisez-vous à l'avance

Vous gagnerez du temps en vous organisant à l'avance, et cela vous permettra d'apprécier les joies du barbecue. Des conseils :

- préparez la viande à l'avance et gardez-la au réfrigérateur ; sortez-la une heure avant de la faire cuire afin qu'elle soit à température ambiante ;
- composez la marinade assez tôt, et faites mariner la viande le temps requis ;
- vous pouvez utiliser des beurres aromatisés ou des sauces, que vous congèlerez ou garderez au froid jusqu'au moment voulu.

Barbecue, combustibles et accessoires

Il existe de nombreuses sortes de gril, qui s'utilisent dans la cuisine ou à l'extérieur de la maison. Tous les accessoires de cuisson doivent posséder un long manche, afin que vos mains soient protégées de la chaleur et des flammes.

Gril intégré

Vous possédez un gril dans votre cuisine, indépendant ou faisant partie de votre four. Dans ce type d'appareil, il est facile de varier la distance entre les aliments et la source de chaleur, ainsi que de contrôler l'intensité de celle-ci. Assurez-vous que la pièce est bien ventilée : les grillades ont tendance à produire beaucoup de fumée.

Barbecue de type brasero

C'est le plus courant et le plus simple. Il s'agit d'un récipient peu profond dans lequel on place le charbon, sur lequel l'air circule pendant la cuisson. Ces barbecues possèdent parfois une hotte ou un écran, ainsi qu'un système de broche permettant de faire rôtir la viande.

Barbecue de type gril

Dans ce barbecue, des entrées d'air dans le pied permettent à l'air de circuler sous le charbon pendant la cuisson des aliments.

Barbecue au gaz

C'est un appareil cher, mais parfait quand on aime les grillades à la folie, puisque le gril est prêt en 5 minutes et qu'on peut contrôler la température, avec un choix entre trois intensités, de faible à fort. Cependant, les aficionados du barbecue le considèrent comme un pis-aller, qui ne procure en aucun cas le goût inimitable de la grillade au charbon de bois.

Combustible

Le charbon est ce qu'on utilise le plus souvent pour les barbecues à l'extérieur, en briques ou en bûchettes. Cependant, vous pouvez également utiliser du bois sec, comme du bois de fruitiers, ou des copeaux de bois.

Copeaux d'hickory

Si vous souhaitez donner à la viande un goût fumé caractéristique, jetez quelques copeaux d'hickory ou de résineux parfumé sur le feu. Ces copeaux doivent tremper dans l'eau avant utilisation. Essayez également de parsemer les braises d'herbes aromatiques.

Lèchefrite

On utilise une lèchefrite en aluminium pour recueillir le jus et la graisse sous les morceaux de viande. Vous arroserez à nouveau la viande de son jus.

Brochettes

C'est une excellente façon de griller la viande : faciles à préparer et rapides à cuire, les brochettes sont idéales pour le cuisinier pressé. Il est préférable d'utiliser des brochettes métalliques plates, plutôt que des rondes qui auront tendance à tourner pendant la cuisson. Si vous utilisez des brochettes en bois, faites-les tremper dans l'eau une demi-heure avant de les utiliser.

Autres accessoires

Mettez toujours des gants quand vous vous occupez du barbecue, même si vous disposez d'ustensiles à long manche. Et si vous êtes dans la nature, n'oubliez pas les sacs poubelles pour les assiettes en papier, les restes et autres ordures.

Aromatiser la viande

Beurres, marinades, sauces, herbes et épices de toutes sortes vous permettront de parfumer vos viandes.

Beurres aromatisés

En ajoutant une noix de beurre aromatisé à la viande pendant la cuisson ou juste après, vous exalterez son goût naturel. Vous pouvez préparer ce beurre longtemps à l'avance et le conserver au réfrigérateur ou au congélateur, roulé dans du papier d'aluminium ou du papier sulfurisé. Suggestions :

- Ail écrasé et herbes aromatiques
- Filets d'anchois finement hachés
- Oignons ou échalotes finement hachés
- Sauce tomate et épices à votre goût
- Piment frais ou sec, très finement haché
- Moutarde de Dijon

Marinades

La marinade est un mélange relevé dans lequel on laisse macérer la viande avant de la faire cuire, afin de lui ajouter une saveur. Cela permet d'attendrir les morceaux et les empêche de se dessécher à la cuisson. Plus vous laisserez mariner la viande, plus elle absorbera le parfum de la préparation. Retournez-la souvent, puis égouttez-la et essuyez-la avec du papier absorbant avant de la faire griller. Vous pouvez composer des marinades avec les ingrédients suivants :

- Huile d'olive, de maïs, de noisette ou de sésame
- Jus de fruits
- Yaourt nature
- Épices et gingembre frais
- Herbes aromatiques, fraîches ou sèches
- Miel, sauce hoisin, sauce de soja, sauce tomate
- Piments hachés
- Ail et oignon hachés

Sauces

Toutes sortes de sauces, dont beaucoup existent toutes faites, accompagnent la viande grillée avec bonheur :

- Les sauces à barbecue se marient bien avec le steak, les côtelettes, les saucisses et le poulet.
- La sauce béarnaise, à l'estragon, est l'accompagnement classique des steaks.
- Le ketchup accompagne aux États-Unis les steaks, la viande hachée et les saucisses.
- Le raifort va bien avec le bœuf grillé.
- La salsa ajoute à la viande rouge, au gibier ou au poulet une saveur fraîche et pimentée.
- Le yaourt, agrémenté de ciboule, de menthe, de citron, d'épices ou de concombre, est délicieux avec du poulet ou de l'agneau grillés.

La viande à grillade

Parmi les nombreuses viandes délicieuses grillées, nous vous conseillons celles qui suivent.

Steak

Prenez toujours des steaks épais et de bonne qualité : filet, aloyau, flanchet, etc. Pas besoin de faire mariner les steaks, à moins que vous ne vouliez leur ajouter une autre saveur. Si vous êtes pressé ou que vous préférez votre steak nature, contentez-vous de le frotter avec une gousse d'ail coupée en deux ou badigeonnez-le d'un peu de beurre ou d'huile juste avant de le passer au gril. Une pincée de poivre fraîchement moulu, et le tour est joué ! Le steak se sert bleu, saignant, à point ou bien cuit (voir le temps de cuisson dans les recettes et la rubrique concernant la cuisson, p. 11). Vous pouvez également faire griller un filet entier.

Porc

Vous utiliserez de préférence des morceaux maigres, qui demandent un temps de cuisson assez court : côtes, filets, travers. Contrairement à la viande de bœuf, le porc ne doit jamais être rosé; assurez-vous qu'il est bien cuit avant de l'ôter du gril.

Agneau

Les morceaux à griller sont côtelettes, tranches de gigot, filet ou gigot entier avec l'os. L'agneau est délicieux si on laisse mariner la viande avant de la griller. Essayer le mélange vin rouge et herbes aromatiques, ou ail et yaourt avec de la menthe ou des épices, comme cela se fait volontiers dans les plats du Moyen-Orient. Pour faire griller un gigot entier, incisez la chair avant la cuisson et insérez des gousses d'ail et des brins de romarin. L'agneau se mange rosé ou bien cuit.

Poulet et volaille

Le poulet et le canard se grillent à la perfection, et restent tendres dans leur peau croquante. Prenez les cuisses, les pilons ou les blancs. Badigeonnez de beurre, d'huile ou de marinade avant la cuisson. Le poulet doit toujours être bien cuit. Si le gril est trop chaud, vous risquez de faire brûler la peau, avant que la chair soit cuite. Pour éviter cela, préférez des morceaux de volaille pas trop gros, ne faites pas trop chauffer le gril et placez la grille assez loin de la source de chaleur. Pour vérifier si le poulet est cuit, piquez-le dans sa partie la plus épaisse. Le jus doit être incolore.

Viande hachée

Pour confectionner des hamburgers, vous pouvez prendre de la viande de bœuf, d'agneau ou de porc. Selon votre envie, ajoutez-y oignon, ail, herbes diverses, épices, poivre, sel et œuf battu pour lier la viande. Servez dans un pain rond, avec du fromage fondu, de la salade, une rondelle de tomate et des cornichons à l'aigre-doux.

Autres viandes

Veau, rognons, foie et gibier font aussi de délicieuses grillades. Le veau doit être bien cuit. Le lapin comme le gibier – petits faisans, perdrix, cailles ou même pièces de grand gibier – auront un goût fabuleux si vous les faites mariner avant de les griller.

Brochettes

Coupez du bœuf, de l'agneau, du filet de porc, du poulet ou de la dinde en petits cubes, faites mariner et enfilez sur des brochettes. Vous pouvez également ajouter du foie, des petites saucisses et des pruneaux entourés de bacon. Variez les saveurs en intercalant des tomates cerises, des morceaux d'oignon rouge, de poivron, de courgette, des champignons ou des feuilles de laurier. Pendant la cuisson, badigeonnez fréquemment les brochettes d'huile ou de marinade pour empêcher qu'elles ne se dessèchent. Tournez-les régulièrement afin que les morceaux de viande cuisent de façon homogène.

Comment savoir si la viande est cuite

Il est difficile de donner des temps de cuisson précis en ce qui concerne les grillades, puisque la température du gril peut varier, ainsi que le goût de chacun en la matière. Cependant, ces quelques conseils peuvent vous aider. Les temps de cuisson sont donnés pour des steaks de 2,5 cm d'épaisseur.

« Bleu »

Cette cuisson concerne les personnes qui aiment le steak plus que saignant. La viande est saisie des deux côtés, très rapidement, à feu très vif, pour être cuite uniquement à l'extérieur. Le steak ne doit pas offrir de résistance quand vous appuyez dessus avec un doigt. Temps de cuisson : 5 minutes environ.

Saignant

Quand on découpe la viande saignante, l'intérieur est rosé, et le jus s'écoule librement. Cette cuisson convient au bœuf, à l'agneau, au gibier et aux rognons. Sur le gril, retournez la viande quand vous voyez apparaître du sang à la surface. Là encore, quand on appuie sur la viande, elle est moelleuse. Temps de cuisson : 7 minutes environ.

À point

La viande cuite à point est à peine rosée et le jus ne s'écoule pas quand on la découpe. Vous apprécierez ainsi le bœuf, l'agneau, les rognons, le foie, le veau et le canard. Faites griller la viande jusqu'à ce que des gouttelettes de jus apparaissent à la surface. Retournez-la et procédez de même pour l'autre côté. La viande est un peu plus ferme au doigt. Temps de cuisson : environ 14 minutes.

Bien cuit

Si vous aimez le bœuf ou l'agneau bien cuits, c'est votre goût, mais cette cuisson convient surtout au porc et au poulet. Faites griller la viande jusqu'à ce qu'il n'y ait plus de trace rosée à l'intérieur ; le centre est encore juteux, et la viande est ferme quand on appuie dessus avec une fourchette. Temps de cuisson : 15-16 minutes environ.

Poulet entier à la broche

nguyên con gà

I bouquet d'herbes aromatiques : sauge, laurier, thym et persil
I citron, coupé en quartiers
I poulet fermier de 1,5 kg
60 g de beurre fondu
sel et poivre

xỏ nề cây ←

1 Placez les herbes et le citron dans le poulet. Salez et poivrez.
2 Posez le poulet sur le dos, faites passer la ficelle de cuisine dessous, du cou au croupion. Croisez la ficelle au niveau du croupion, faites-la passer derrière chaque cuisse et serrez le tout pour que les pilons bouchent la cavité. Retournez le poulet, passez la ficelle derrière les ailes puis au niveau du cou. Nouez la ficelle au milieu du dos.
3 Badigeonnez de beurre fondu, salez, poivrez. Embrochez la volaille.
4 Placez le poulet au-dessus des braises du barbecue, à 20 cm environ. Faites cuire pendant 1 h 15-1 h 30, en tournant fréquemment et en arrosant de beurre fondu.
5 Pour vérifier si le poulet est cuit, percez la partie la plus charnue de la cuisse avec une brochette. Si le jus est limpide, le poulet est cuit.
6 Retirez-le du barbecue et découpez-le dans un plat de service. Servez avec un coulis de tomates (ci-dessous) ou une crème de poivrons jaunes (ci-contre).

Pour 4 personnes
Préparation : 15 minutes – **Cuisson** : 1 heure 15-1 heure 30

Coulis de tomates

I kg de tomates bien mûres, pelées et hachées
I kg de poivrons rouges, épépinés et hachés menu
500 g d'oignons hachés
2 piments rouges, épépinés, finement hachés
$^1/_2$ litre de vinaigre de vin rouge
200 g de sucre brun
4 cuillers à soupe de graines de moutarde
2 cuillers à soupe de graines de céleri
I cuiller à soupe de paprika
sel et poivre

1 Mettez tous les ingrédients dans une grande casserole et amenez lentement à ébullition. Laissez frémir, sans couvercle, pendant 30 minutes, jusqu'à ce que le plus gros du liquide se soit évaporé et que le coulis ait une consistance pulpeuse, épaisse. Remuez fréquemment en fin de cuisson.
2 Versez le coulis dans des pots stérilisés. (Pour les stériliser, placez les pots, ouverture vers le haut, sur une feuille de papier sulfurisé, dans le four préchauffé à 140 °C/th. 2-3 et laissez pendant 10 minutes jusqu'à ce que les pots soient chauds.) Fermez hermétiquement une fois le coulis refroidi.

Pour 1,5 kg environ
Préparation : 20 minutes, plus le temps de refroidissement
Cuisson : 40 minutes

Poulet au citron

4 escalopes de poulet, sans la peau

Marinade au citron :
zeste et jus de I citron non traité
3 cuillers à soupe d'huile d'olive
I cuiller à café de miel liquide
I gousse d'ail émincée
I brin de persil

Pour la garniture :
brins de persil
tranches de citron

I Mélangez les ingrédients de la marinade dans un petit pichet. Pratiquez 4 fentes en diagonale sur chaque morceau de poulet. Placez les morceaux dans un récipient large et creux et versez la marinade. Couvrez et laissez mariner pendant 4 heures dans un endroit frais, en retournant de temps en temps.

2 Retirez les escalopes de poulet de la marinade et placez-les chacune sur une double épaisseur de papier d'aluminium. Versez un peu de marinade sur chaque morceau, puis fermez en papillote.

3 Posez les papillotes sur la grille d'un barbecue chaud et laissez cuire 10 minutes. Retournez, et laissez cuire à nouveau pendant 10 minutes, ou jusqu'à ce que le poulet soit tendre.

4 Ouvrez les papillotes et servez le poulet dans des assiettes chaudes. Arrosez avec le jus de cuisson et garnissez avec des brins de persil et des tranches de citron. Accompagnez d'une salade verte.

Pour 4 personnes
Préparation : 10 minutes, plus 4 heures de marinade
Cuisson : 20 minutes

Crème de poivrons jaunes

2 poivrons jaunes
2 cuillers à soupe de yaourt
I cuiller à soupe de sauce de soja
I cuiller à soupe de coriandre fraîche
hachée (facultatif)
poivre

I Placez les deux poivrons sous le gril de votre four préchauffé pendant 10 minutes environ, en les retournant fréquemment, jusqu'à ce que la peau soit noire. Mettez-les dans un sac en plastique et laissez-les refroidir : la peau se détachera toute seule. Enlevez les pépins, et mixez la chair avec le yaourt jusqu'à obtenir une purée lisse.

2 Versez dans un saladier, assaisonnez avec la sauce de soja et le poivre. Ajoutez éventuellement la coriandre hachée. Couvrez et mettez au réfrigérateur.

Pour 4 personnes
Préparation : 5 minutes, plus le temps de refroidissement
Cuisson : environ 10 minutes

Cuisses de poulet au parmesan

8 cuillers à soupe de chapelure fraîche
3 cuillers à soupe de parmesan émietté
1 cuiller à soupe de farine
4 belles cuisses de poulet, sans la peau
1 œuf battu
sel, poivre et huile

1 Mélangez la chapelure et le parmesan. Assaisonnez la farine de sel et de poivre. Trempez les cuisses de poulet dans la farine, puis dans l'œuf battu, enfin dans le mélange chapelure-parmesan, en appuyant bien avec vos doigts. Assurez-vous qu'elles sont bien recouvertes de ce mélange, puis laissez-les au réfrigérateur pendant 30 minutes.
2 Faites cuire les cuisses de poulet sur la grille huilée du barbecue préchauffé pendant 30-40 minutes, en retournant fréquemment, jusqu'à ce qu'elles soient tendres.
3 Servez ce délicieux poulet avec du coulis de tomates (voir p. 12).

Pour 4 personnes
Préparation : 10 minutes, plus 30 minutes de refroidissement
Cuisson : 30-40 minutes

Escalopes de poulet farcies

3 cuillers à soupe de beurre
1 petit oignon, finement haché
125 g de riz complet
1 cuiller à café de curcuma
1 feuille de laurier
3 clous de girofle
2 cosses de cardamome verte
30 cl d'eau
4 escalopes de poulet, sans la peau
sel et poivre

1 Faites fondre le beurre dans une casserole à feu doux. Augmentez le feu, ajoutez l'oignon et le riz. Faites revenir jusqu'à ce que l'oignon soit tendre et transparent. Ajoutez le laurier et les épices. Salez et poivrez.
2 Versez l'eau et laissez frémir à feu doux pendant 15 minutes environ, jusqu'à ce que le riz soit cuit. Ôtez les épices.
3 Placez les escalopes de poulet entre deux feuilles de papier sulfurisé et aplatissez-les avec un maillet en bois ou un rouleau à pâtisserie jusqu'à ce qu'elles soient très fines. Mettez un quart du riz sur chaque escalope, roulez-les et fermez à l'aide d'une brochette en bois huilée.
4 Faites cuire sur la grille huilée du barbecue préchauffé, pendant environ 10 minutes de chaque côté. Découpez en tranches pour servir, et accompagnez d'un assortiment de sauces et d'une salade.

Pour 4 personnes
Préparation : 25 minutes
Cuisson : 20 minutes

Poulet au saté

Mets de fête en Indonésie, ce plat est maintenant apprécié dans le monde entier.
À servir avec des brochettes de concombre et d'oignon.

4 grosses escalopes de poulet,
sans la peau
15 cl de sauce de soja
2 cuillers à soupe de sucre brun
4 cuillers à soupe de mélasse
2 belles gousses d'ail, émincées
zeste de 1 citron
3 cuillers à soupe de jus de citron
1 morceau de gingembre frais de 1 cm,
pelé et râpé
huile

Sauce aux cacahuètes :
200g de cacahuètes grillées,
ou de cacahuètes salées
rincées et séchées
2 grosses gousses d'ail, coupées en deux
3 piments rouges secs, épépinés
et émiettés
1 oignon, grossièrement haché
1 cuiller à café de sel
4 cuillers à soupe d'huile d'arachide
5 cuillers à soupe de bouillon de poulet
1 cuiller à soupe de sucre brun
2 cuillers à soupe de sauce de soja
2 cuillers à soupe de jus de citron vert

1 Découpez les escalopes de poulet en cubes de 2,5 cm de côté, enfilez-les sur des brochettes en bambou. Disposez les brochettes dans un plat long et creux.

2 Mélangez sauce de soja, sucre, mélasse, ail, zeste et jus de citron et gingembre, puis versez sur les brochettes. Retournez ces dernières afin que la viande soit bien recouverte de cette marinade. Couvrez et laissez reposer dans un endroit frais pendant 1 heure, en retournant deux ou trois fois.

3 Préparez la sauce. Hachez finement les cacahuètes, puis versez-les dans un bol, avec l'ail, le piment, l'oignon, le sel et la moitié de l'huile. Mixez jusqu'à obtenir une pâte épaisse. Ajoutez si besoin 1 cuiller à soupe de bouillon pour mixer plus facilement.

4 Faites chauffer le reste de l'huile dans une casserole. Versez-y cette pâte d'arachide et faites-la cuire pendant 3-4 minutes sans cesser de remuer. Ajoutez le bouillon de poulet et amenez à ébullition, puis baissez le feu et laissez frémir pendant 5-10 minutes, jusqu'à ce que la sauce soit très épaisse et homogène.

5 Retirez du feu et ajoutez le sucre, la sauce de soja, le jus de citron vert. Remuez bien. Gardez cette sauce au chaud près du barbecue pendant que vous faites griller le poulet.

6 Disposez les brochettes sur la grille du barbecue préalablement huilée, au-dessus des braises. Faites-les cuire 5-6 minutes, en les tournant et en les badigeonnant de marinade.

7 Servez ces brochettes de poulet au saté accompagnées de la sauce aux cacahuètes.

Pour 6 personnes
Préparation : 30 minutes, plus 1 heure de marinade
Cuisson : 20 minutes

Poulet farci aux raisins secs et au miel

1 poulet à rôtir, d'environ 2 kg
60 g de macarons (ou biscuits aux amandes), émiettés
100 g de pain grossièrement émietté
50 g de raisins secs
1 cuiller à soupe de basilic haché
1 œuf battu
4 cuillers à soupe d'huile d'olive
3 cuillers à soupe de miel, fondu
1 cuiller à soupe de jus de citron
1 cuiller à café de cannelle
sel et poivre

1 Frottez l'intérieur et l'extérieur du poulet avec du poivre et du sel.
2 Mélangez macarons émiettés, pain émietté, raisins secs, basilic et œuf battu. Salez et poivrez.
3 Remplissez le poulet de cette farce et fermez l'ouverture avec des petites broches en métal.
4 Badigeonnez le poulet d'huile d'olive. Embrochez-le et faites-le cuire au barbecue, ou au four préchauffé, pendant 45 minutes.
5 Mélangez le miel et le jus de citron et badigeonnez-en le poulet à l'aide d'un pinceau, puis saupoudrez de cannelle. Remettez le poulet à rôtir pendant 45 minutes. Pour savoir si le poulet est cuit, piquez la partie la plus charnue de la cuisse : si le jus est encore rosé, laissez-le cuire 10 minutes de plus.

Pour 6 personnes
Préparation : 15 minutes
Cuisson : 1 heure 30-1 heure 45

Poulet tandoori

4 escalopes de poulet, sans la peau
brins de persil, pour garnir
zeste de citron vert en lamelles
huile
Marinade tandoori :
2 yaourts
1 morceau de gingembre frais de 1 cm, pelé et finement haché
1 gousse d'ail émincée
2 cuillers à café de paprika
1 cuiller à café de piment en poudre
1 cuiller à soupe de sauce tomate
zeste râpé de ½ citron
jus de ½ citron
sel et poivre

1 Mélangez tous les ingrédients de la marinade, et ajoutez sel et poivre à volonté. Versez dans un plat creux. Piquez les escalopes de poulet en plusieurs endroits, et disposez-les dans le plat, en les retournant pour qu'elles soient bien recouvertes de marinade. Couvrez et laissez mariner toute la nuit dans un endroit frais, en retournant les morceaux de poulet de temps à autre.
2 Retirez les escalopes de la marinade et placez-les sur la grille huilée du barbecue préchauffé. Faites cuire environ 10 minutes de chaque côté, ou jusqu'à ce que le poulet soit tendre.
3 Servez décoré de brins de persil et de zeste de citron vert. Accompagnez d'une salade.

Pour 4 personnes
Préparation : 10 minutes, plus une nuit de marinade
Cuisson : 20 minutes

Poulet au sirop d'érable, salade d'orange et de cresson

4 cuisses de poulet

Marinade :
50 cl de jus d'orange sans sucre ajouté
1 oignon finement tranché
1 gousse d'ail émincée
noix de muscade râpée
4 cuillers à soupe de sirop d'érable
sel et poivre

Salade d'orange et de cresson :
3 oranges de table
1 orange à jus, non traitée
1 botte de cresson, lavée, séchée
et équeutée
1 petit oignon finement haché
4 cuillers à soupe d'huile d'olive
2 cuillers à soupe d'échalote hachée

1 Percez les cuisses de poulet à intervalles réguliers et placez-les dans un plat creux. Ajoutez jus d'orange, oignon, ail et noix de muscade. Salez et poivrez. Couvrez et laissez au réfrigérateur pendant une nuit.
2 Retirez les cuisses de poulet de la marinade et égouttez-les. Placez-les sur un barbecue chaud, face interne côté grille, et faites cuire pendant 15 minutes. Retournez-les, badigeonnez-les de sirop d'érable et laissez-les cuire encore 15-20 minutes jusqu'à ce qu'elles soient tendres. Assurez-vous que le poulet est cuit en piquant la partie la plus charnue de la cuisse : le jus doit être limpide et non rosé. Servez chaud, accompagné de la salade d'orange et de cresson.
3 Pour la salade. Râpez le zeste de l'orange non traitée et pressez-en le jus. Pelez les trois oranges restant à vif et, à l'aide d'un couteau fin, détachez les quartiers à vif. Disposez le cresson et les quartiers d'orange dans un plat ; parsemez d'oignon. Mélangez le jus d'orange et le zeste à l'huile, ajoutez l'échalote. Salez et poivrez. Versez sur la salade.

Pour 4 personnes
Préparation : 30 minutes, plus une nuit de marinade
Cuisson : 30-35 minutes

Brochettes de dinde à la sauce aux airelles

2 grosses escalopes de dinde, sans la peau,
coupées en dés de 2,5 cm
1 gros poivron rouge, épépiné et coupé en
carrés de 2,5 cm
12 petits champignons de Paris
8 feuilles de laurier
6 cuillers à soupe de coulis d'airelles
2 cuillers à soupe d'huile d'olive
huile

1 Intercalez sur des brochettes en métal huilées les cubes de dinde, les poivrons, les champignons et les feuilles de laurier.
2 Tamisez la sauce d'airelles dans un petit saladier placé au bain-marie sur une casserole d'eau frémissante. Ajoutez l'huile et laissez cuire, sans faire bouillir, jusqu'à obtenir une sauce plus liquide.
3 Badigeonnez les brochettes de cette sauce et faites-les griller sur la grille huilée du barbecue chaud, pendant 8-10 minutes, en les retournant et en les arrosant plusieurs fois du reste de sauce.

Pour 4 personnes
Préparation : 10 minutes
Cuisson : 8-10 minutes

Ailes de poulet à la cannelle et aux épices

8 grosses ailes de poulet

Marinade :
I gousse d'ail
I gros morceau de gingembre frais de
5 cm, pelé et haché
zeste râpé et jus de 2 citrons verts
2 cuillers à soupe de sauce de soja
2 cuillers à soupe d'huile d'arachide
2 cuillers à café de cannelle
I cuiller à café de curcuma en poudre
2 cuillers à soupe de miel
sel

1 Mixer tous les ingrédients de la marinade jusqu'à obtenir un mélange très homogène.

2 Disposez les ailes de poulet dans un plat et versez la marinade dessus, en vous assurant que les morceaux sont bien recouverts de la préparation. Couvrez et laissez reposer 1-2 heures.

3 Égouttez le poulet et faites-le cuire au barbecue pendant 4-5 minutes de chaque côté, en le badigeonnant avec le reste de marinade. Servez accompagné de la crème de poivrons jaunes (voir p. 13).

Pour 4 personnes
Préparation : 10 minutes, plus 1-2 heures de marinade
Cuisson : 8-10 minutes

Coquelets en crapaudine

2 coquelets, prêts à cuire
6 cuillers à soupe d'huile
I cuiller à soupe de sauce Worcestershire
2 gousses d'ail émincées
jus de ½ citron
I cuiller à soupe de moutarde forte
sel et poivre

1 Si votre boucher ne l'a pas déjà fait, fendez les deux coquelets sur le dos dans toute leur longueur. Retirez la colonne vertébrale.

2 Ouvrez-les, puis posez-les sur une planche, peau vers le haut. À l'aide d'un maillet ou d'un rouleau à pâtisserie, aplatissez-les en prenant garde à ne pas briser en éclats les os ou déchirer la chair.

3 Repliez le bout des ailes sous les ailes. Coupez les pattes. Enfilez chaque coquelet sur deux brochettes en croix, de manière à les maintenir bien à plat pour la cuisson.

4 Mélangez huile, sauce Worcestershire, ail, jus de citron, moutarde, sel et poivre à votre convenance et nappez les coquelets de cette sauce. Couvrez et réservez au réfrigérateur pendant au moins 4 à 6 heures.

5 Placez les coquelets, peau vers le bas, sur la grille du four. Faites-les cuire sous le gril préchauffé à température moyenne pendant 10 minutes. Retournez-les et badigeonnez-les du reste de marinade. Laissez cuire encore 10 minutes, jusqu'à ce qu'ils soient tendres.

Pour 4 personnes
Préparation : 30 minutes environ, plus 4-6 heures de marinade
Cuisson : environ 20 minutes

Coquelets farcis au fromage de chèvre

4 coquelets
150 g de fromage de chèvre frais
1 cuiller à soupe de feuilles de thym frais
3 tranches de jambon fumé, hachées
1 citron, coupé en 8
sel et poivre

Marinade :
25 cl d'huile d'olive
zeste râpé de 1 citron
1 cuiller à soupe de basilic frais, haché

1 Frottez les coquelets, dedans et dehors, avec du sel et du poivre. À partir du cou, glissez délicatement un doigt entre la peau et la viande pour décoller la peau le long et de chaque côté du sternum.

2 Mélangez le fromage de chèvre, le thym, le jambon. Salez et poivrez. Glissez cette préparation entre la peau et la chair de chaque coquelet. Mettez 2 quartiers de citron dans chaque coquelet.

3 Mélangez l'huile d'olive avec le zeste de citron, le basilic. Salez et poivrez à votre convenance. Placez les coquelets dans un plat creux, versez cette marinade dessus, couvrez d'un film plastique. Gardez au réfrigérateur pendant 4 heures.

4 Sortez les coquelets de la marinade, épongez-les avec du papier absorbant. Réservez le reste de marinade.

5 Faites cuire les coquelets, côté sternum en bas, sur le barbecue chaud, pendant 10 minutes. Retournez-les et continuez la cuisson pendant 15-20 minutes, en les badigeonnant de temps à autre avec la marinade. Vérifiez si les coquelets sont cuits en perçant la partie la plus charnue : le jus doit être limpide.

Pour 4 personnes
Préparation : 35 minutes, plus 4 heures de marinade
Cuisson : 25-30 minutes

Poulet à la diable

4 cuisses et 4 ailes de poulet

Sauce :
2 cuillers à café de romarin haché
2 cuillers à café de persil haché
1 cuiller à café de thym haché
2 cuillers à soupe d'huile de maïs
2 cuillers à soupe de vin blanc
1 cuiller à soupe de sauce de soja
2 cuillers à café de moutarde forte
quelques gouttes de Tabasco et du poivre

1 Essuyez soigneusement les morceaux de poulet, puis coupez le bout des ailes. Incisez légèrement la chair, afin que la sauce pénètre dans la viande et la parfume.

2 Mixez les ingrédients de la sauce. Dans un plat, versez-la sur les morceaux de poulet, en veillant à ce qu'ils soient bien recouverts.

3 Placez les morceaux sur un barbecue chaud, et laissez cuire environ 15 minutes, en badigeonnant souvent de sauce.

4 Servez accompagné du restant de sauce.

Pour 4 personnes
Préparation : 10 minutes – Cuisson : 15 minutes

Magrets de canard au barbecue

**4 magrets de canard,
d'environ 200 g chacun
marinade à l'orange (voir recette suivante)
brins de cerfeuil pour garnir (facultatif)
huile**

1 Incisez la peau des magrets, disposez-les dans un plat et versez dessus la marinade. Couvrez et laissez reposer dans un endroit frais pendant au moins 4 heures.

2 Égouttez les magrets et réservez la marinade. Faites cuire sous un gril préchauffé pendant 2 minutes environ de chaque côté, afin d'éliminer la majeure partie du gras, et d'éviter ainsi que les braises du barbecue ne s'enflamment.

3 Mettez les magrets sur la grille huilée du barbecue chaud. Faites griller 2-6 minutes de chaque côté, selon la cuisson désirée, en arrosant fréquemment de marinade.

4 Parsemez les magrets de brins de cerfeuil, et servez-les accompagnés d'une salade composée multicolore.

Pour 4 personnes
Préparation : 10 minutes, plus 4 heures de marinade au moins
Cuisson : 8-16 minutes

Marinade à l'orange

**jus et zeste râpé d'une orange non traitée
1 cuiller à soupe de sauce de soja
3 cuillers à café de miel liquide
1 morceau de gingembre frais de 1 cm,
pelé et finement râpé
sel et poivre**

Mélangez tous les ingrédients de la marinade dans un petit pichet.

Pour 4 personnes
Préparation : 5 minutes

Oie rôtie à la broche

1 oie d'environ **5 kg**
**150 g de petits champignons de Paris
hachés menu**
2 gousses d'ail émincées
15 filets d'anchois finement hachés
250 g de beurre à température ambiante
3 cuillers à soupe de persil haché
1 foie d'oie, finement haché
sel et poivre

1 Frottez l'intérieur et l'extérieur de l'oie avec du poivre et du sel. Piquez la peau de l'oie à intervalles réguliers avec une brochette fine.
2 Mélangez champignons, ail, filets d'anchois, beurre, persil et foie. Salez et poivrez. Remplissez l'oie de ce beurre aromatisé, puis fermez l'ouverture en la cousant avec de la ficelle de cuisine.
3 Embrochez l'oie et faites-la cuire au barbecue pendant environ 2 heures. Goûtez pour voir si elle est cuite ; si ce n'est pas le cas, laissez-la 20-30 minutes de plus.
4 Découpez de larges parts et servez.

Pour 6 personnes
Préparation : 25 minutes
Cuisson : 2 heures-2 heures 30

Chevreuil mariné à la bière

4 côtelettes de chevreuil pas trop grasses
20 cl de bière brune
4 cuillers à soupe d'huile d'olive
1 gousse d'ail émincée
2 feuilles de laurier séchées, en miettes
1 cuiller à café de sucre brun
poivre

1 Ôtez tout le gras possible des côtelettes de chevreuil et disposez-les en une seule couche au fond d'un plat. Versez dessus l'huile et la bière. Ajoutez les autres ingrédients, mais ne salez pas.
2 Couvrez le plat et laissez-le mariner au réfrigérateur pendant au moins 4 heures, sinon toute une nuit.
3 Sortez les côtelettes de chevreuil de la marinade, que vous réserverez. Posez-les sur la grille chaude du barbecue et laissez cuire 10-12 minutes, en les retournant une fois. Elles doivent être dorées à l'extérieur, mais encore rosées à l'intérieur. Pendant la cuisson, versez de la marinade sur la viande pour empêcher celle-ci de se dessécher. Servez chaud avec des pommes de terre cuites au four et une salade croquante.

Pour 4 personnes
Préparation : 10 minutes, plus 4 heures de marinade au moins
Cuisson : 10-12 minutes

Lapin au yaourt épicé

1 lapin de 1 kg découpé en morceaux

5 cuillers à soupe de vinaigre
de vin blanc

2 yaourts

1 oignon haché

1 gousse d'ail émincée

1 morceau de gingembre frais de 6 cm,
pelé et râpé

zeste râpé et jus de ½ citron

1 cuiller à soupe de garam massala
(en vente dans les boutiques indiennes)

½ cuiller à café de poudre
de piment

½ cuiller à café de curcuma

Garniture :
feuilles de coriandre
quartiers de citron

1 Lavez et essuyez les morceaux de lapin. Avec un bon couteau, incisez la chair tous les centimètres.

2 Mettez dans un mixeur vinaigre, yaourt, oignon, ail et gingembre. Mixez jusqu'à obtenir une sauce homogène. Ajoutez zeste et jus du citron, garam massala, poudre de piment et curcuma. Mélangez.

3 Disposez les morceaux de lapin dans un plat creux et versez le mélange au yaourt, en ayant soin de bien recouvrir tous les morceaux. Couvrez et laissez mariner au réfrigérateur pendant 1-2 jours, en retournant les morceaux de temps en temps.

4 Sortez les morceaux de lapin de la marinade, égouttez-les. Posez-les sur le barbecue chaud, ou sous un gril préchauffé, et faites cuire 10-15 minutes, en retournant plusieurs fois, jusqu'à ce que le jus soit incolore quand vous percez la cuisse.

5 Parsemez de coriandre et servez avec des quartiers de citron.

Pour 6 personnes
Préparation : 15 minutes, plus 1-2 jours de marinade
Cuisson : 10-15 minutes

Cailles glacées au jalapeño

8 cailles

huile

10 cl de jalapeño, doux ou très fort
(condiment cajun)

2 cuillers à soupe de vinaigre de vin blanc

1 Coupez les cailles en deux sur toute la longueur du dos, et ouvrez-les (comme un livre). Appuyez doucement sur le sternum pour le casser. Enfilez chaque oiseau en diagonale sur une brochette.

2 Badigeonnez les cailles d'huile, puis placez-les, côté peau en haut, sur la grille huilée du barbecue, 16 cm au-dessus de braises pas trop chaudes. Faites cuire 20-30 minutes, en retournant de temps en temps et en badigeonnant fréquemment d'huile.

3 Pendant ce temps, versez le vinaigre et le jalapeño dans une petite casserole et placez-la sur le gril pour faire fondre le condiment. Remuez. Badigeonnez les cailles avec cette sauce 2 ou 3 minutes avant la fin de la cuisson. Servez chaud.

Pour 4 personnes
Préparation : 15 minutes – Cuisson : 20-30 minutes

Agneau aux airelles et au miel

4 côtelettes d'agneau ou tranches de gigot
15 cl de jus d'airelle
100 g d'airelles fraîches
ou surgelées
3 cuillers à soupe de miel liquide
brins de menthe, pour garnir

1 Dégraissez l'agneau et placez-le dans un grand plat. Versez dessus le jus d'airelle. Couvrez et laissez mariner au moins 4 heures, voire toute une nuit. Égouttez la viande, réservez la marinade.

2 Posez l'agneau sur le barbecue chaud ou sous le gril préchauffé, et faites cuire 7-10 minutes, ou jusqu'à ce que l'agneau soit cuit à votre convenance, en le retournant une fois.

3 Pendant ce temps, mettez la marinade dans une casserole, ajoutez les airelles et faites bouillir à feu vif pendant 5 minutes, ou jusqu'à ce que les airelles soient tendres. Ajoutez le miel et remuez pour le faire fondre.

4 Servez l'agneau accompagné de cette sauce aux airelles et garni de feuilles de menthe.

Pour 4 personnes
Préparation : 10 minutes, plus 4 heures de marinade au moins
Cuisson : 7-10 minutes

Agneau en manteau croquant sauce à l'orange

8 côtes premières d'agneau
1 blanc d'œuf, légèrement battu
3 cuillers à soupe de mie de pain complet hachée
2 cuillers à soupe de flocons d'avoine
zeste finement râpé et jus de 1 petite orange (non traitée)
20 cl de fromage frais
sel et poivre

Garniture :
tranches d'orange
brins de cerfeuil

1 Dégraissez l'agneau, puis badigeonnez-le avec le blanc d'œuf. Dans un saladier, mélangez le pain et les flocons d'avoine, salez et poivrez. Recouvrez l'agneau de cette chapelure, en la faisant bien adhérer partout. Enveloppez l'extrémité des os dans du papier d'aluminium.
2 Posez la viande sur un barbecue modérément chaud et faites cuire, en retournant une fois, pendant 8-10 minutes.
3 Pour la sauce, mélangez le zeste et le jus d'orange au fromage frais. Quand l'agneau est cuit, servez-le chaud, nappé de cette sauce. Garnissez avec des tranches d'orange et du cerfeuil.

Pour 4 personnes
Préparation : 15 minutes
Cuisson : 8-10 minutes

Brochettes d'agneau épicées

1 filet d'agneau de 750 g
2 cuillers à soupe de jus de citron
20 cl d'huile d'olive
2 cuillers à café de graines de coriandre moulues
2 gousses d'ail émincées
2 cuillers à café de curcuma moulu
1 cuiller à café de gingembre en poudre
2 cuillers à café de cumin en poudre
2 feuilles de laurier, émiettées
2 citrons verts, coupés en fins quartiers
sel et poivre

1 Dégraissez l'agneau le plus possible, puis coupez-le en cubes de 2,5 cm.
2 Mettez la viande dans un plat creux. Mélangez jus de citron, huile d'olive, coriandre, ail, curcuma, gingembre, cumin, feuilles de laurier. Salez et poivrez à votre goût. Versez cette marinade sur la viande et remuez bien le tout.
3 Couvrez et laissez reposer au réfrigérateur pendant 12 heures, en retournant de temps en temps les morceaux.
4 Égouttez les morceaux de viande et réservez la marinade. Enfilez les cubes d'agneau sur 4 brochettes, en intercalant de temps à autre des quartiers de citron vert. Badigeonnez les brochettes de marinade.
5 Faites cuire sur la grille huilée du barbecue chaud, ou sous le gril du four, pendant 5-8 minutes, jusqu'à ce que la viande soit cuite.
6 Servez les brochettes accompagnées de pita (pain oriental) chaude.

Pour 4 personnes
Préparation : 20-25 minutes, plus 12 heures de marinade
Cuisson : 5-8 minutes

Agneau à la broche

Faites rôtir un gigot d'agneau sur une broche tournante au-dessus d'un barbecue. Les premières tranches devraient être prêtes en 30 à 45 minutes et la viande continuera à cuire pendant que vous les dégusterez. Cette recette est vraiment faite pour le barbecue, mais vous pouvez bien sûr faire rôtir le gigot à la broche dans le four.

1 gigot d'agneau d'environ 2,5 kg

Marinade :
20 cl d'huile d'olive
1 cuiller à soupe de marjolaine hachée
2 cuillers à soupe de menthe hachée
½ cuiller à café de cannelle
½ cuiller à café de clous de girofle moulus
2 gousses d'ail émincées
2 cuillers à soupe d'eau de rose (pour asperger pendant la cuisson)
sel et poivre

1 À l'aide d'un petit couteau, perforez le gigot à intervalles réguliers. Placez la viande dans un plat creux.

2 Mélangez les ingrédients de la marinade et aspergez-en le gigot. Couvrez et laissez reposer dans le réfrigérateur pendant au moins 6 heures, en retournant la viande de temps de temps.

3 Égouttez le gigot et réservez la marinade. Embrochez le gigot et badigeonnez-le de marinade.

4 Faites rôtir sur le barbecue pendant 35-45 minutes, jusqu'à ce que l'agneau soit assez cuit pour qu'on puisse découper les premières tranches. Laissez-le cuire encore, et découpez les tranches au fur et à mesure.

5 Servez accompagné de pita (pain oriental) chaude et d'une salade de concombre au yaourt.

Pour 6 à 8 personnes
Préparation : 10 minutes, plus 6 heures de marinade au moins
Cuisson : 40-50 minutes pour les premières tranches

Note : on utilise l'eau de rose en Afrique du Nord pour parfumer l'agneau, la volaille et les desserts. Vous pouvez l'acheter dans une épicerie maghrébine ou en fabriquer chez vous. Pour cela, versez 250 g de pétales de roses rouges dans une casserole avec ½ litre d'eau. Laissez frémir sur feu doux pendant une demi-heure, jusqu'à ce que les pétales aient rendu leur eau et soient devenus tout mous. Filtrez le liquide rosé dans une autre casserole, ajoutez 240 g de sucre et remuez. Faites frémir pendant 5 minutes, puis laissez refroidir. L'eau de rose se conserve 15 jours dans une bouteille fermée au réfrigérateur.

Brochettes d'agneau marinées au yaourt

1 gigot d'agneau de 1 kg, découpé
en dés de 2 cm
1 petit bouquet de feuilles de coriandre,
grossièrement hachées
quartiers de citron ou de citron vert,
pour servir

Marinade au yaourt :
4 yaourts
3 cuillers à soupe d'huile d'olive
2 cuillers à soupe de jus de citron vert
1 petit oignon émincé
1 cuiller à café de clous de girofle moulus
1 cuiller à café de cumin en poudre
1 cuiller à café de cardamome moulue
2 gousses d'ail émincées
1 cuiller à café de cannelle
1 cuiller à café de sel
1 cuiller à café de poivre blanc
fraîchement moulu

1 Enfilez les morceaux d'agneau sur 4 longues brochettes et placez ces dernières dans un plat creux ou une lèchefrite.

2 Mélangez les ingrédients de la marinade et versez-la sur la viande. Tournez les brochettes deux ou trois fois, puis couvrez et laissez reposer dans un endroit frais pendant au moins 12 heures, ou mettez 24 heures au réfrigérateur.

3 Égouttez les brochettes, en réservant la marinade, puis faites-les cuire sur la grille huilée du barbecue, au-dessus de braises chaudes, pendant 10 minutes si vous aimez la viande saignante, jusqu'à 20 minutes si vous la préférez bien cuite. Tournez les brochettes pendant la cuisson et arrosez-les de marinade.

4 Parsemez les feuilles de coriandre dans un plat de service. Défaites les brochettes et posez les morceaux par-dessus. Servez avec les quartiers de citron, du pain croustillant et le reste de marinade.

Pour 4 personnes
Préparation : 15 minutes, plus 12 heures de marinade au moins
Cuisson : 10-20 minutes

Brochettes d'agneau à la feta

1 kg d'agneau maigre, coupé en dés de 2 cm
6 cuillers à soupe d'huile d'olive
4 cuillers à soupe de jus de citron
2 grosses gousses d'ail émincées
1 cuiller à soupe d'origan haché
1 cuiller à soupe de thym haché
1 cuiller à soupe de marjolaine hachée
sel et poivre
120 g de feta, émiettée

1 Dégraissez l'agneau et placez les morceaux dans un plat creux. Mélangez l'huile d'olive au jus de citron, ajoutez l'ail et les herbes hachées. Salez et poivrez à votre convenance. Versez cette marinade sur l'agneau. Couvrez et laissez au réfrigérateur pendant au moins 4 heures.

2 Égouttez les morceaux d'agneau et réservez la marinade. Enfilez la viande sur 4 brochettes et arrosez de marinade. Faites cuire sur la grille huilée du barbecue chaud, ou au gril dans votre four, pendant 5 minutes de chaque côté.

3 Saupoudrez les brochettes de miettes de feta. Servez aussitôt, accompagné de pita (pain oriental) et de légumes.

Pour 4 personnes
Préparation : 25 minutes, plus 4 heures de marinade au moins
Cuisson : 10 minutes environ

Côtelettes d'agneau au vin rouge et à la menthe

8 côtelettes d'agneau d'environ 2,5 cm d'épaisseur
20 cl de vin rouge
2 cuillers à soupe d'huile d'olive
6 cuillers à soupe de menthe hachée fin
sel et poivre

Garniture :
brins de menthe ou de persil
quartiers de tomates

1 Posez les côtelettes d'agneau dans un plat creux. Mélangez le vin, l'huile et la menthe, et versez le tout sur la viande. Couvrez et laissez mariner dans un endroit frais pendant 1 heure, en retournant les morceaux une fois.

2 Égouttez les côtelettes et faites-les cuire sur la grille huilée du barbecue, au-dessus de braises plutôt chaudes, pendant 7-10 minutes de chaque côté, selon votre cuisson préférée. Arrosez avec le reste de marinade au moment où vous les retournez.

3 Saupoudrez de sel et de poivre, et servez très chaud, garni de brins de persil ou de menthe et de quartiers de tomates. Vous pouvez également prévoir en accompagnement un petit saladier de marinade au yaourt (voir p. 30).

Pour 4 personnes
Préparation : 5 minutes, plus 1 heure de marinade
Cuisson : 15-20 minutes

Gigot d'agneau mariné sauce à la crème

Il est bien sûr possible de faire rôtir ce gigot au four, mais il n'aura pas la même croûte dorée et croustillante que si vous le faites au barbecue. Faites préchauffer le four à 190 °C (th. 6) et servez les tranches au fur et à mesure de la cuisson.

1 gigot d'agneau de 2,5 kg
30 cl de vin blanc sec
1 oignon émincé
1 poignée de feuilles de céleri grossièrement hachées
2 cuillers à café de baies de genièvre écrasées
6 cuillers à soupe d'huile d'olive
25 cl de crème épaisse
sel et poivre

1 À l'aide d'un bon couteau, pratiquez plusieurs incisions profondes dans le gigot, à intervalles réguliers. Posez la viande dans un plat creux.

2 Mélangez vin blanc, oignon, feuilles de céleri et baies de genièvre. Salez et poivrez à votre convenance. Versez cette marinade sur l'agneau. Couvrez et laissez reposer au réfrigérateur pendant au moins 6 heures, en retournant de temps en temps.

3 Égouttez le gigot et réservez la marinade. Placez la viande sur la broche et badigeonnez d'huile d'olive. Faites rôtir le gigot au-dessus du barbecue chaud pendant 35-45 minutes, jusqu'à ce que l'agneau soit assez tendre pour qu'on puisse découper les tranches extérieures. Si possible, recueillez le jus pendant la cuisson.

4 Pendant que l'agneau cuit, préparez la sauce. Versez la marinade dans une casserole et faites bouillir jusqu'à réduire le liquide de moitié. Ajoutez le jus de cuisson recueilli et la crème. Chauffez à feu doux et servez.

5 Gardez la sauce au chaud sur le barbecue pendant que le gigot continue à cuire. Découpez les tranches au fur et à mesure.

Pour 6 à 8 personnes
Préparation : 15 minutes, plus 6 heures de marinade au moins
Cuisson : 35-45 minutes pour les premières tranches

Gigot d'agneau à la moutarde et aux herbes

1 gigot d'agneau, de 2,5-3 kg, avec l'os
2 ou 3 gousses d'ail émincées
10 cl de moutarde de Dijon
2 cuillers à soupe d'huile d'olive
3 cuillers à soupe de menthe hachée
1 cuiller à soupe de romarin haché
poivre noir fraîchement moulu

1 Dégraissez le plus possible le gigot. Ouvrez-le en deux de manière à pouvoir l'étaler. Pratiquez des incisions dans la viande et insérez les morceaux d'ail.

2 Mélangez la moutarde, l'huile, les herbes et beaucoup de poivre dans un plat assez grand pour contenir le gigot en entier. Placez la viande dedans, puis, à l'aide d'une cuillère, recouvrez-la de la sauce moutardée. Couvrez et laissez mariner à température ambiante ou au réfrigérateur pendant au moins 2 heures. (Si vous avez mis la viande au réfrigérateur, n'oubliez pas de lui laisser le temps de revenir à une température ambiante avant de la faire cuire.)

3 Faites griller l'agneau sur des braises pas trop chaudes pendant 20-30 minutes de chaque côté. Vous obtiendrez une viande saignante ou à point ; rajoutez 10 minutes de cuisson par côté si vous préférez votre viande bien cuite.

4 Pour servir le gigot, découpez de fines tranches dans la largeur.

Pour 6 à 8 personnes
Préparation : 15 minutes, plus 2 heures de marinade au moins
Cuisson : 40 minutes-1 heure

Boulettes d'agneau sauce à l'abricot

700 g de viande d'agneau hachée
zeste de 1 orange, finement râpé
1 grosse gousse d'ail émincée
1 cuiller à café de quatre-épices
1 petit poivron rouge, épépiné
et très finement haché
2 cuillers à soupe de raisins secs, hachés
2 jaunes d'œufs
sel et poivre

Marinade :
5 cuillers à soupe de jus d'orange
6 cuillers à soupe d'huile d'olive
3 cuillers à soupe de vin rouge

Sauce à l'abricot :
1 petit oignon haché fin
2 cuillers à soupe d'huile d'olive
50 cl d'abricots frais ou en boîte, hachés
1 cuiller à soupe de menthe hachée
15 cl de vin blanc sec
2 cuillers à café de miel liquide

1 Mélangez viande d'agneau hachée, zeste d'orange, ail, quatre-épices et poivron. Salez et poivrez selon votre goût. Ajoutez les jaunes d'œufs.

2 Façonnez 20 boulettes de ce mélange, et posez-les dans un plat creux.

3 Mélangez les ingrédients de la marinade, et versez sur les boulettes de viande. Couvrez, et laissez mariner au réfrigérateur pendant 4-6 heures, en retournant les boulettes une ou deux fois.

4 Pour la sauce à l'abricot, faites sauter l'oignon dans l'huile d'olive 2 minutes. Ajoutez les autres ingrédients et laissez frémir pendant 10 minutes.

5 Égouttez les boulettes d'agneau et réservez la marinade. Prenez 4 brochettes et enfilez délicatement 5 boulettes sur chacune d'elles. Arrosez les brochettes de marinade.

6 Faites cuire les brochettes sur la grille huilée d'un barbecue chaud, ou sous le gril de votre four, pendant 8-10 minutes, en les retournant une fois et en les arrosant de marinade. Servez avec la sauce chaude.

Pour 4 personnes
Préparation : 30 minutes, plus 4-6 heures de marinade
Cuisson : 20 minutes

Boulettes d'agneau aux épices et à la menthe

500 g de viande d'agneau maigre hachée
1 oignon, haché ou émincé
2 gousses d'ail émincées
2 petits piments rouges, épépinés
et hachés fin
3 cuillers à soupe de menthe hachée
zeste finement râpé et jus de 1 citron vert
farine complète
huile de soja ou de maïs
sel et poivre
yaourt nature, en accompagnement

Garniture :
quartiers de citron vert
feuilles de menthe

1 Mélangez viande hachée, oignon, ail, piments, menthe, zeste et jus du citron vert. Salez et poivrez à votre convenance.
2 Farinez-vous les mains et formez 8 petites saucisses avec ce mélange. Enfilez-les sur 4 brochettes.
3 Mettez les brochettes à griller sur le barbecue chaud, ou sous le gril du four à feu moyen, pendant 10 minutes environ, en les retournant de temps en temps, jusqu'à ce qu'elles soient bien cuites. Pendant la cuisson, badigeonnez-les d'huile si nécessaire pour éviter qu'elles ne se dessèchent.
4 Servez les boulettes chaudes, accompagnées de yaourt nature et garnies de quartiers de citron vert et de feuilles de menthe.

Pour 4 personnes
Préparation : 10 minutes
Cuisson : 10 minutes

Côtelettes d'agneau épicées

8 côtelettes d'agneau
tomates cerises coupées en deux

Marinade :
2 gousses d'ail
1 cuiller à café de menthe hachée
1 cuiller à café de quatre-épices
1/2 cuiller à café de cannelle
2 cuillers à soupe d'huile
2 cuillers à soupe de vinaigre de vin blanc
2 cuillers à café de sucre brun
sel et poivre

Garniture :
cresson
brins de menthe

1 Décongelez les côtelettes si elles sont surgelées, et essuyez-les bien avec du papier absorbant. Pelez et émincez l'ail. Mélangez tous les ingrédients de la marinade et versez-la dans un plat creux. Posez les côtelettes dans le plat, couvrez et laissez mariner 1 heure, en retournant une fois la viande.
2 Égouttez les côtelettes.
3 Faites-les griller sur un barbecue chaud, ou sous un gril préchauffé, pendant 4-5 minutes de chaque côté. Ajoutez les tomates cerises sur la grille 2 ou 3 minutes avant la fin de la cuisson.
4 Disposez les côtelettes et les tomates sur un plat chaud, et garnissez avec le cresson et la menthe.

Pour 4 personnes
Préparation : 5 minutes, plus 1 heure de marinade
Cuisson : 8-10 minutes

Bouchées de porc et de jambon à la sauge

30 g de raisins de Smyrne
4 cuillers à soupe de marsala
4 filets de porc longs et minces
(coupés dans le filet mignon),
d'environ 100 g chacun
4 tranches de jambon de Parme épaisses
1 cuiller à soupe de sauge hachée
16 cubes de pain blanc, d'environ 2,5 cm
4 cuillers à soupe d'huile d'olive
8 fines tranches de bacon, coupées en
deux dans la longueur
sel et poivre

1 Faites tremper les raisins secs dans le marsala. Couvrez, et réservez pendant 1 heure.

2 Découpez chaque filet de porc en 4 longues bandes, et procédez de même avec les tranches de jambon de Parme.

3 Disposez une bande de jambon sur chaque bande de porc. Parsemez de sauge et de raisins secs macérés, salez et poivrez à votre goût. Enroulez chaque bande ; vous obtenez 16 bouchées.

4 Badigeonnez chaque morceau de pain d'un peu d'huile d'olive, puis roulez-le dans une demi-tranche de bacon.

5 Sur une brochette, enfilez 4 bouchées de porc et de jambon et 4 bouchées de pain et de bacon, en les alternant. Badigeonnez d'huile d'olive.

6 Faites cuire les brochettes sur la grille huilée du barbecue chaud, ou sous le gril de votre four, pendant 3-4 minutes de chaque côté. Servez chaud, accompagné d'une salade verte.

Pour 4 personnes
Préparation : 30 minutes, plus 1 heure de macération
Cuisson : 6-8 minutes

Porc grillé à l'orange

4 côtes de porc

Marinade :
I gousse d'ail
2 cuillers à café de zeste d'orange finement râpé
20 cl de jus d'orange
I cuiller à café de gingembre frais râpé
2 cuillers à soupe de xérès doux
2 cuillers à soupe d'huile d'olive

I Enlevez le gras des côtes de porc. Pelez et hachez finement la gousse d'ail, et mettez-la dans un plat avec le reste des ingrédients de la marinade. Posez la viande dans le mélange, et laissez reposer 15 minutes.

2 Retirez le porc de la marinade et faites-le cuire au barbecue chaud pendant environ 20 minutes, en le retournant plusieurs fois et en le badigeonnant de marinade.

3 Servez avec une salade verte, à laquelle vous pouvez ajouter des morceaux d'orange, pour rehausser la saveur de la viande marinée.

Pour 4 personnes
Préparation : 5 minutes, plus 15 minutes de marinade
Cuisson : 20 minutes

Pasanda tikka

500 g de cubes de porc maigre, de 2,5 cm
3 ou 4 cuillers à soupe de yaourt
½ cuiller à café de sel
2 cuillers à café de pâte de curry, plus ou moins forte
100 g de beurre fondu

Garniture :
2 oignons coupés en rondelles
I citron en rondelles

I Piquez la viande à l'aide d'une fourchette, puis placez-la dans un plat creux. Dans un saladier, mélangez le yaourt, le sel et la pâte de curry. Versez le mélange sur les cubes de porc. Couvrez et laissez mariner 6 heures.

2 Égouttez les cubes et enfilez-les sur 6 petites brochettes huilées. Placez les brochettes sur le barbecue moyennement chaud et laissez cuire 15-20 minutes. Retournez les brochettes et badigeonnez-les de beurre fondu pendant la cuisson.

3 Servez avec les rondelles d'oignons et de citron.

Pour 3 ou 4 personnes
Préparation : 5 minutes, plus 6 heures de marinade
Cuisson : 15-20 minutes

Filets de porc farcis

50 g d'amandes hachées
4 grosses oranges non traitées
2 cuillers à soupe de miel liquide
4 cuillers à soupe d'huile d'olive
2 cuillers à soupe d'origan haché
4 filets de porc dégraissés – 500 g environ
en tout
4 gousses d'ail émincées
15 g de beurre
coupé en petits dés
sel et poivre

1 Faites griller les amandes hachées sur une feuille de papier sulfurisé, au four à 180 °C (th. 5) pendant 10 minutes, jusqu'à ce qu'elles soient dorées. Réservez dans un petit bol.

2 Râpez finement le zeste de 2 oranges et ajoutez-le aux amandes. Ajoutez également le miel pour obtenir une pâte. Salez et poivrez à votre convenance. Pelez les 2 oranges, découpez-les en quartiers et réservez.

3 Pour la marinade, pressez le jus des 2 oranges restant, ajoutez l'huile d'olive et l'origan.

4 Découpez chaque filet de porc dans l'épaisseur, de manière à pouvoir l'ouvrir comme un livre. Enduisez l'intérieur de chaque filet de mélange aux amandes. Égouttez les quartiers d'oranges, en versant le jus dans la marinade, et disposez-les sur les filets, ainsi que les morceaux d'ail.

5 Refermez les filets et ficelez-les avec de la ficelle de cuisine, en faisant un tour tous les 2,5 cm environ. Disposez les filets farcis dans un plat creux, versez la marinade par-dessus et retournez la viande. Couvrez et laissez mariner 8 heures, voire toute la nuit au réfrigérateur.

6 Sortez la viande 1 heure à l'avance pour qu'elle soit à température ambiante, puis retirez-la de la marinade. Salez et poivrez à votre goût, et faites cuire sur la grille huilée du barbecue bien chaud pendant 40-45 minutes, en arrosant fréquemment de marinade.

7 Disposez la viande cuite dans un plat, recouvrez de papier d'aluminium et maintenez au chaud le temps de préparer la sauce. Versez le restant de marinade dans une petite casserole et faites bouillir à feu vif jusqu'à réduire le liquide de moitié. Ajoutez petit à petit le beurre sans cesser de battre.

8 Ôtez la ficelle des filets de porc, découpez la viande et servez avec la sauce.

Pour 4 personnes
Préparation : 30 minutes, plus 8 heures de marinade au moins
Cuisson : 40-45 minutes

Porc grillé à la sauce moutarde

6 côtes premières de porc désossées
3 cuillers à soupe de moutarde
à l'ancienne
4 cuillers à soupe de yaourt
poivre
quartiers de citron pour servir

1 Ôtez tout le gras possible de la viande. Mélangez la moutarde, le yaourt, et poivrez légèrement. Étalez une mince couche de ce mélange sur chaque côte de porc.

2 Faites cuire les côtes sur un barbecue modérément chaud, environ 4 minutes de chaque côté, en les badigeonnant de mélange à la moutarde quand vous les retournez.

3 Servez garni de quartiers de citron et accompagné d'une salade verte.

Pour 6 personnes
Préparation : 5 minutes
Cuisson : 8 minutes

Brochettes de porc aux pruneaux et aux noisettes

500 g de porc dégraissé
24 pruneaux dénoyautés
4 cuillers à soupe de cognac
4 cuillers à soupe d'huile d'olive
2 brins de romarin hachés
24 noisettes grillées
sel et poivre

1 Découpez la viande en morceaux de 2 cm environ. Mettez les morceaux dans un saladier, avec les pruneaux. Mélangez le cognac, l'huile d'olive et le romarin et versez sur la viande. Remuez, puis couvrez et laissez mariner une nuit au réfrigérateur. Si vous utilisez des noisettes sèches, faites-les tremper dans l'eau froide toute la nuit, puis égouttez-les et procédez comme avec des noisettes fraîches.

2 Versez les noisettes dans une petite casserole, couvrez d'eau froide et faites bouillir. Baissez le feu et laissez frémir pendant 15 à 20 minutes, jusqu'à ce que les noisettes soient tendres. Égouttez-les, rincez-les à l'eau froide et égouttez une nouvelle fois.

3 À l'aide d'une écumoire, ôtez les morceaux de porc et les pruneaux de la marinade. Enfilez-les sur des brochettes, en alternant avec les noisettes (si celles-ci sont trop tendres pour être percées, mettez-en une dans chaque pruneau). Transvasez la marinade dans un petit pot.

4 Faites griller les brochettes sur la grille huilée du barbecue chaud pendant 10-12 minutes, en les tournant fréquemment et en les arrosant de marinade. Salez, poivrez, et servez.

Pour 4 personnes
Préparation : 15-25 minutes, plus une nuit de marinade
Cuisson : 10-12 minutes

Travers de porc au barbecue

Il n'y a pas beaucoup de viande dans les travers ; prévoyez donc 500 g par personne si vous en faites le plat principal. Si les barres de la grille du barbecue sont trop espacées, laissez les travers en bande, en sachant que le temps de cuisson sera plus long.

2 kg de travers de porc
4 cuillers à soupe de miel liquide

Sauce :
6 cuillers à soupe de sauce de soja
4 cuillers à soupe d'huile
3 gousses d'ail pelées et émincées
I petit morceau de gingembre frais,
ou ¼ de cuiller à café de gingembre
en poudre
zeste râpé de I citron
quelques gouttes de Tabasco
½ cuiller à café de cannelle
sel et poivre

I Pour la sauce, mélangez la sauce de soja à l'huile. Ajoutez l'ail et le gingembre pelé et passé au presse-ail, le zeste de citron, le Tabasco, la cannelle. Salez et poivrez.

2 Placez les travers sur la grille huilée du barbecue plutôt chaud, côté os en bas, et badigeonnez du mélange. Laissez cuire 10 minutes environ. Retournez les travers, badigeonnez à nouveau et faites cuire encore 15 minutes.

3 Retournez à nouveau les travers, badigeonnez-les une nouvelle fois du mélange et de miel. Laissez cuire 15 minutes.

Pour 4 personnes
Préparation : 5-10 minutes
Cuisson : 35-40 minutes (si les travers sont séparés)

Côtes de porc et compote de pommes au gingembre et au romarin

Le porc et la compote de pommes vont très bien ensemble. Cette recette modifie
un peu la combinaison classique, par ses saveurs subtiles de gingembre et de romarin.
Des petits navets grillés ajouteront encore à la douceur caramélisée de ce plat.

4 pommes pelées

feuilles de 1 branche de romarin, hachées fin

2 cuillers à soupe de miel liquide

½ cuiller à soupe de gingembre frais râpé

2 cuillers à soupe d'eau

4 côtes de porc moelleuses d'environ 300 g chacune

1 gousse d'ail émincée

3 cuillers à soupe d'huile d'olive

1 cuiller à soupe de vinaigre de xérès

500 g de navets nouveaux

2 cuillers à soupe de beurre fondu

sel et poivre

1 Coupez les pommes en huit et placez les quartiers dans une casserole avec le romarin, le miel, le gingembre et 2 cuillers d'eau. Couvrez et amenez à ébullition, puis baissez le feu et laissez frémir 10-12 minutes, jusqu'à ce que les pommes soient tendres. Vous pouvez laisser la compote en quartiers ou la mixer en purée, selon votre préférence.

2 Disposez les côtes de porc en une seule couche dans un plat. Mélangez l'ail, l'huile d'olive et le vinaigre dans un pichet, versez sur la viande, retournez les côtes. Couvrez et laissez mariner pendant 1-2 heures.

3 Pelez les navets et coupez-les en deux. Badigeonnez-les de beurre fondu et salez avec du sel marin. Faites-les cuire sur la grille huilée du barbecue assez chaud pendant 20-25 minutes, en les retournant de temps à autre.

4 Après 10 minutes de cuisson des navets, égouttez les côtes de porc et placez-les sur le barbecue. Réservez la marinade. Faites cuire la viande 6-7 minutes de chaque côté, en l'arrosant fréquemment de marinade.

5 Servez accompagné des navets grillés et de la compote de pommes au gingembre et au romarin. Des asperges vertes grillées constituent également un accompagnement raffiné.

Pour 4 personnes
Préparation : 20 minutes, plus 1-2 heures de marinade
Cuisson : 20-25 minutes

Brochettes de porc à la mandarine et à la crème d'arachide

500 g de porc maigre
6 mandarines ou 4 petites pêches (dénoyautées)
8 oignons grelots, épluchés
8 feuilles de laurier
4 cuillers à soupe de beurre de cacahuète
2 cuillers à soupe de mayonnaise
2 cuillers à café de jus de citron
1 cuiller à café de moutarde de Dijon
brins de persil
huile d'olive ou de soja
sel et poivre

1 Enlevez le gras de la viande et coupez-la en cubes de 2,5 cm. Mettez la viande dans un saladier et pressez dessus le jus d'une mandarine. Si vous utilisez des pêches, versez sur la viande 3 cuillers à soupe de jus d'orange. Remuez les morceaux de porc et laissez mariner au moins 1 heure. Puis égouttez et réservez le liquide.

2 Coupez les mandarines ou les pêches en quartiers. Enfilez sur des brochettes, en alternance avec les morceaux de porc, les oignons et les feuilles de laurier.

3 Mélangez le beurre de cacahuète, la mayonnaise, le jus de citron, la moutarde et un peu de poivre. Présentez cette sauce dans un joli bol, garnie de brins de persil.

4 Salez et poivrez les brochettes. Disposez-les sur le barbecue chaud et faites cuire pendant 10-12 minutes en retournant fréquemment. Pendant la cuisson, badigeonnez de marinade et d'un peu d'huile, afin d'éviter que le porc ne se dessèche.

5 Servez chaud, accompagné de la crème d'arachide et d'une salade verte.

Pour 4 personnes
Préparation : 20 minutes, plus 1 heure de marinade au moins
Cuisson : 10-12 minutes

Croquettes de viande à la suédoise

3 tranches de pain blanc, sans la croûte
20 cl d'eau gazeuse
250 g de porc haché
250 g de veau haché
200 g de jambon en petits morceaux
1 cuiller à café de baies
de genièvre hachées
2 jaunes d'œufs
huile
sel et poivre

Pour servir :
4 tranches de pain de seigle beurrées
1 oignon, coupé en fines rondelles
2 cuillers à soupe de câpres
20 cl de crème fraîche

1 Coupez le pain en morceaux, et mettez-le à tremper dans l'eau gazeuse pendant 20 minutes.
2 Pendant ce temps, mélangez les viandes, le jambon, les baies de genièvre et les jaunes d'œufs. Salez et poivrez. Ajoutez le pain. Battez ce mélange jusqu'à ce qu'il devienne homogène. Formez 4 croquettes. Laissez au réfrigérateur pendant 30 minutes.
3 Badigeonnez les croquettes d'huile, placez-les sur la grille du barbecue chaud et faites cuire pendant 4 minutes. Retournez-les, badigeonnez d'un peu d'huile et laissez sur la grille encore 4 minutes.
4 Disposez une tranche de pain de seigle sur chaque assiette, et posez une croquette chaude dessus. Garnissez avec des rondelles d'oignon et des câpres. Ajoutez une cuiller de crème sur chaque assiette.

Pour 4 personnes
Préparation : 30 minutes, plus 30 minutes au réfrigérateur
Cuisson : 8 minutes

Brochettes de veau aux pruneaux

12 gros pruneaux dénoyautés
20 cl environ de vin blanc sec
1 morceau de veau maigre de 500 g
3 tranches de jambon
3 cuillers à soupe de miel liquide
3 cuillers à soupe de vinaigre
de vin blanc
huile
sel et poivre

1 Mettez les pruneaux à tremper dans le vin blanc. Laissez reposer toute une nuit, ou jusqu'à ce que les pruneaux soient gonflés.
2 Coupez le veau en cubes de 2,5 cm. Dans chaque tranche de jambon coupée en 4 bandes, roulez un pruneau.
3 Enfilez les cubes de veau et les rouleaux pruneau-jambon en alternance sur 4 brochettes.
4 Faites chauffer le miel et le vinaigre de vin blanc dans une petite casserole jusqu'à ce que le miel soit fondu. Salez et poivrez à volonté. Badigeonnez les brochettes d'huile, puis de ce mélange au miel.
5 Placez les brochettes sous le gril du four préchauffé, au-dessus d'une lèchefrite. Faites cuire pendant 6 minutes de chaque côté, en badigeonnant une fois encore en milieu de cuisson.

Pour 4 personnes
Préparation : 20 minutes, plus une nuit de trempage pour les pruneaux - **Cuisson :** 12 minutes

Rouleaux de veau à la mozzarella

Ces rouleaux sont meilleurs cuits au barbecue, mais vous pouvez également les faire griller dans votre four, à 200 °C (th. 7), pendant 15-20 minutes. Ils peuvent être préparés 24 heures à l'avance, ainsi que l'aïoli, et gardés couverts au réfrigérateur jusqu'au moment de la cuisson.

100 g de beurre mou
2 cuillers à soupe de persil haché
1 cuiller à soupe de sauge hachée
1 gousse d'ail émincée
zeste râpé fin d'un citron
6 longues et minces escalopes de veau, environ 500 g au total
6 tranches fines de jambon de Parme
6 tranches très fines de mozzarella ou de fontina, environ 180 g
4 cuillers à soupe d'huile d'olive
sel et poivre

Aïoli au marsala :
2 gousses d'ail émincées
2 cuillers à café de moutarde de Dijon
1 cuiller à café de jus de citron
2 jaunes d'œufs
30 cl d'huile d'olive
2 cuillers à soupe de marsala
sel et poivre

Pour servir :
feuilles de sauge
tranches de citron

1 Travaillez le beurre ramolli avec le persil, la sauge, l'ail, le zeste de citron. Salez et poivrez à votre convenance.

2 Aplatissez chaque escalope en un rectangle d'environ 20 cm sur 15. Coupez chaque escalope en deux dans la longueur, puis découpez les tranches de jambon et de fromage à la même taille que les morceaux de veau.

3 Étalez le beurre aromatisé sur chaque morceau de veau. Posez dessus une tranche de jambon puis une tranche de fromage, et roulez serré. Attachez les rouleaux ainsi constitués avec de la ficelle de cuisine.

4 Placez les rouleaux de veau dans un plat creux, couvrez et laissez reposer au réfrigérateur pendant 8 heures.

5 Préparez l'aïoli. Mélangez l'ail à la moutarde et au jus de citron, puis salez et poivrez. Ajoutez les jaunes d'œufs, battez le tout, puis versez l'huile d'olive goutte à goutte sans cesser de battre. Enfin, ajoutez le marsala. (Vous pouvez préparer cet aïoli au mixeur si vous préférez.) Couvrez et laissez au réfrigérateur 8 heures.

6 Prenez 4 brochettes et enfilez 3 rouleaux de veau sur chacune. Badigeonnez d'huile d'olive.

7 Faites cuire les brochettes sur le barbecue préchauffé pendant 8-10 minutes, en les retournant une fois. Retirez les rouleaux de veau des brochettes et coupez la ficelle.

8 Servez les rouleaux chauds, garnis de feuilles de sauge et de tranches de citron, et accompagnés de l'aïoli au marsala et d'une salade de fenouil.

Pour 6 personnes
Préparation : 45 minutes, plus 8 heures au réfrigérateur
Cuisson : 8-10 minutes

Aloyau de bœuf au barbecue

Quand on fait rôtir à la broche, l'essentiel est d'avoir la même chaleur indirecte tout autour de la broche. Pour obtenir cela, poussez les braises sur les côtés du barbecue, afin qu'elles entourent la pièce de bœuf. Placez une lèchefrite sous la viande pour en recueillir le jus. Vous l'utiliserez pour arroser la viande en cours de cuisson, et vous éviterez ainsi d'activer inopinément les flammes.

I rôti de bœuf de 1,5 à 2 kg, dans l'aloyau
3 cuillers à soupe d'huile d'olive
I cuiller à soupe de jus de citron
3 gros oignons coupés en tranches
beurre fondu
I cuiller à soupe de farine
sel et poivre

I Badigeonnez le bœuf d'huile d'olive et aspergez-le de jus de citron. Disposez la moitié des tranches d'oignon au fond d'un plat, placez le rôti par-dessus, recouvrez-le avec le restant d'oignon. Laissez mariner au moins 3 heures.

2 Enlevez les oignons. Insérez la broche dans le bœuf et faites-le cuire au-dessus de braises bien chaudes. Placez une lèchefrite dessous pour recueillir le jus. Badigeonnez fréquemment de beurre fondu ou du jus de cuisson.

3 Après 20 minutes de cuisson environ, quand le bœuf est bien doré, saupoudrez-le de farine. Laissez la farine former une croûte, puis badigeonnez à nouveau de beurre. Laissez cuire le bœuf pendant 1 heure 15 encore, en l'arrosant de temps en temps de son jus, jusqu'à ce qu'il soit tendre et cuit à votre goût. Salez et poivrez.

4 Pour servir, enlevez la ficelle et découpez le bœuf en fines tranches. Dégraissez le jus de la lèchefrite et versez-le sur les tranches de bœuf.

Pour 8 personnes
Préparation : 15 minutes, plus 3 heures de marinade au moins
Cuisson : 1 heure 30-1 heure 45

Steaks au poivre flambés au brandy

**4 steaks dans le filet,
d'environ 180 g chacun
I cuiller à soupe de poivre noir
finement écrasé
100 g de beurre fondu
2 gousses d'ail émincées
4 tranches de pain blanc, épaisses
d'environ I cm et un peu plus grandes
que les steaks
4 cuillers à soupe de brandy
sel**

1 Pressez chaque steak dans le poivre des deux côtés, puis salez.

2 Faites chauffer le beurre avec l'ail. Badigeonnez les deux côtés des steaks avec ce beurre d'ail.

3 Placez les steaks sur la grille huilée du barbecue chaud et faites cuire 2 minutes 30 à 3 minutes 30. Retournez les steaks et faites griller de la même façon.

4 Juste avant que les steaks soient cuits, trempez les tranches de pain dans le beurre d'ail et faites-les griller rapidement des deux côtés sur le barbecue.

5 Disposez les tranches de pain sur 4 assiettes et posez un steak sur chacune.

6 Versez le brandy dans une casserole et faites-le chauffer sur le barbecue. Enflammez le brandy avec une allumette et versez-le, encore en flammes, sur les 4 steaks. Servez, dès que les flammes s'éteignent, avec une salade verte.

Pour 4 personnes
Préparation : 8 minutes
Cuisson : 5-7 minutes (suivant le degré de cuisson désiré)

52

Steaks à la moutarde

**4 steaks dans le filet,
d'environ 180 g chacun
4 cuillers à soupe de moutarde
à l'ancienne
4 cuillers à soupe de sucre brun
sel et poivre**

1 Salez et poivrez les steaks. Mélangez la moutarde et le sucre, et étalez la moitié de ce mélange sur les steaks, d'un côté seulement.
2 Placez les steaks, face moutardée vers le haut, sur la grille huilée d'un barbecue chaud, et faites cuire pendant 3-4 minutes. Retournez la viande, et badigeonnez-la du reste du mélange sucre-moutarde. Laissez cuire encore 3-4 minutes, suivant votre cuisson préférée. Servez avec des pommes de terre cuites au four.

Pour 4 personnes
Préparation : 5 minutes
Cuisson : 6-8 minutes

Médaillons de bœuf sauce à la duxelles

**1 cuiller à soupe d'huile de soja
ou de maïs
200 g de petits champignons de Paris
finement hachés
2 échalotes ou 2 petits oignons
finement hachés
20 cl de noisettes finement hachées
2 branches de céleri
2 carottes
2 courgettes
30 cl de bouillon de bœuf
30 cl de vin rouge
6 steaks dans le filet de 120-150 g chacun
sel et poivre**

1 Préparez d'abord la duxelles de champignons : chauffez l'huile dans une petite casserole et faites sauter les champignons, les échalotes ou les oignons, en remuant constamment, pendant 5 minutes environ. Puis laissez frémir, sans couvrir, jusqu'à ce que tout le liquide soit évaporé. Ajoutez les noisettes, salez et poivrez. Gardez au chaud.

2 Découpez le céleri, les carottes et les courgettes en bâtonnets de 5 cm environ, pour faire une julienne.

3 Mettez le bouillon de bœuf dans une casserole et portez à ébullition. Ajoutez les légumes et faites bouillir pendant 3 minutes. Retirez les bâtonnets de légumes avec une écumoire et réservez au chaud.

4 Pour la sauce, faites rapidement réduire le bouillon de moitié, en le laissant frémir sans couvercle. Ajoutez le vin rouge, salez et poivrez à votre goût. Faites à nouveau bouillir 1 minute, puis réservez au chaud.

5 Sous un gril préchauffé, faites cuire les steaks de 3-6 minutes sur chaque côté, selon la cuisson que vous préférez.

6 Servez les steaks sur un lit de julienne, accompagnés de duxelles. Versez délicatement la sauce dessus.

Pour 6 personnes
Préparation : 20 minutes
Cuisson : 6-12 minutes

Filets de bœuf aux huîtres fumées

6 filets de bœuf, de 120-150 g chacun
2 cuillers à soupe d'huile de soja
ou de maïs
100 g d'oignons
en rondelles fines
300 g de champignons de Paris
finement émincés
4 cuillers à soupe de vin rouge
4 cuillers à soupe de bouillon de bœuf
3 cuillers à soupe de sauce tomate
1 petite boîte (12,5 cl) d'huîtres fumées,
égouttées
sel et poivre
cresson pour la garniture

1 Découpez soigneusement les steaks dans l'épaisseur, mais seulement jusqu'aux trois quarts, de manière à les ouvrir comme un livre. Placez-les entre deux feuilles de papier sulfurisé et battez-les avec un rouleau à pâtisserie pour obtenir une épaisseur constante. Salez, poivrez et badigeonnez légèrement avec une cuiller à soupe d'huile.

2 Placez sous le gril préchauffé de votre four, et faites cuire pendant 3-5 minutes de chaque côté, suivant votre cuisson préférée.

3 Pendant ce temps, faites chauffer le reste de l'huile dans une casserole et mettez les oignons et les champignons à sauter pendant quelques minutes, pour les rendre un peu fondants. Ajoutez le vin, le bouillon, la sauce tomate, et laissez frémir 3-4 minutes, jusqu'à ce que le liquide ait un peu réduit et que la sauce soit plus épaisse. Ajoutez les huîtres fumées.

4 Pour servir, versez la sauce sur les steaks et garnissez de brins de cresson.

Pour 6 personnes
Préparation : 10 minutes
Cuisson : 6-10 minutes

Brochettes de bœuf à la marmelade et au gingembre

500 g d'aloyau de bœuf
I gros poivron jaune, épépiné et coupé
en carrés de 2,5 cm
4 cuillers à soupe
de marmelade d'orange
I morceau de gingembre frais de 5 cm,
pelé et gratté
I cuiller à soupe d'huile de soja
ou de maïs
feuilles de sauge
rondelles d'orange pour garnir

I Enlevez le gras du bœuf et découpez la viande en tranches de 2,5 cm. Mettez-les dans un saladier avec le poivron, la marmelade, le gingembre et l'huile et mélangez soigneusement.

2 Enfilez le bœuf sur 4 brochettes en bois, en l'intercalant avec le poivron et la sauge. Faites cuire sur le barbecue ou sous le gril du four préchauffé, en tournant fréquemment les brochettes, pendant 8 minutes environ, ou jusqu'à ce que le bœuf soit cuit à votre convenance. Servez garni de rondelles d'orange.

Pour 4 personnes
Préparation : 10 minutes
Cuisson : 8 minutes

Steaks à la sauce de soja et à la noix de coco

4 steaks dans le filet
d'environ 170 g chacun
15 cl de sauce de soja
15 cl de xérès pas trop sec
2 cuillers à soupe d'huile de soja
ou de sésame
2 cuillers à soupe de noix
de coco râpée, grillée
2 oignons, hachés fin

I Dégraissez les steaks. Placez-les dans un plat large et versez dessus la sauce de soja, le xérès et l'huile. Couvrez et laissez reposer au réfrigérateur pendant 4 heures, voire toute une nuit.

2 Égouttez les steaks, et faites-les cuire sur le barbecue chaud ou sous le gril du four préchauffé, pendant 3-4 minutes de chaque côté, jusqu'à votre cuisson préférée, en les badigeonnant fréquemment de marinade.

3 Juste avant de servir, parsemez les steaks de noix de coco grillée et d'oignon. Servez avec une salade croquante.

Pour 4 personnes
Préparation : 5 minutes, plus 4 heures de marinade au moins
Cuisson : 6-8 minutes

Hamburgers aux champignons

400 g de bœuf maigre haché
1 petit oignon, finement haché
150 g de petits champignons de Paris
finement hachés
200 g de pain complet émietté
zeste finement râpé de 1/2 citron
1 œuf battu
2 cuillers à soupe de farine complète
sel et poivre

Pour servir :
12 petits pains ronds complets, chauds
1 laitue coupée en lanières
4 tomates fermes coupées en tranches

1 Dans un saladier, mélangez le bœuf, l'oignon, les champignons et les miettes de pain. Ajoutez le zeste de citron et l'œuf battu pour lier le mélange. Salez et poivrez légèrement.

2 Farinez vos mains et formez 12 portions de ce mélange, en les aplatissant un peu.

3 Faites cuire ces hamburgers hachés sur le barbecue ou sous le gril du four préchauffé, pendant 8-10 minutes, en les retournant une fois, jusqu'à ce qu'ils soient légèrement dorés et bien cuits.

4 Servez dans les petits pains coupés en deux, avec des lanières de laitue et des tranches de tomates.

Pour 6 personnes
Préparation : 15 minutes
Cuisson : 8-10 minutes

Steaks marinés à la Guinness

Délicieux au barbecue, ces steaks constitueront le plat de choix d'un dîner d'hiver entre amis. Après avoir réduit la marinade, vous pouvez ajouter quelques cuillers à soupe de crème fraîche épaisse et faire chauffer à feu vif pour obtenir une sauce plus riche et onctueuse.

4 steaks de bœuf dans le filet, d'environ 230 g chacun
1 cuiller à soupe d'huile d'olive
sel et poivre

Marinade :
2 cuillers à café de moutarde de Dijon
5 clous de girofle
1 ½ cuiller à soupe de sucre brun
1 bâton de cannelle de 5 cm, émietté
6 grains de poivre noir, légèrement écrasés
30 cl de Guinness (bière brune)

1 Enlevez le gras des steaks, en laissant une petite bande, puis placez-les dans un plat creux.

2 Mélangez les ingrédients de la marinade, puis versez celle-ci sur les steaks. Couvrez et laissez reposer dans un endroit frais pendant au moins 6 heures, en retournant les steaks au bout de 3 heures.

3 Sortez les steaks de la marinade 5 minutes avant de les faire cuire et essuyez-les avec du papier absorbant.

4 Filtrez la marinade et versez-la dans une casserole à fond épais. Amenez à ébullition, puis laissez bouillir jusqu'à réduire la sauce de moitié. Vous pouvez effectuer cette opération sur votre cuisinière ou directement sur le barbecue.

5 Badigeonnez un côté des steaks d'un peu d'huile d'olive et d'un peu de marinade, puis faites-les cuire, face huilée vers le bas, sur la grille huilée du barbecue très chaud, pendant 3-4 minutes pour des steaks saignants, 4-5 minutes pour des steaks à point, 5-6 minutes pour des steaks bien cuits. Badigeonnez à nouveau de marinade pendant la cuisson.

6 Badigeonnez les steaks d'huile, puis retournez-les et laissez-les griller 3-6 minutes de l'autre côté, en badigeonnant encore de marinade. Salez et poivrez généreusement juste avant de servir.

Pour 4 personnes
Préparation : 10 minutes, plus 6 heures de marinade au moins
Cuisson : 12-18 minutes

Steaks teriyaki

4 cuillers à soupe de sauce de soja
3 cuillers à soupe de xérès sec
ou de saké
2 cuillers à soupe d'huile
1 cuiller à soupe de jus de citron
1 cuiller à soupe de sucre brun
1 cuiller à soupe de gingembre
frais râpé
1 gousse d'ail émincée
4-6 steaks, épais de 2,5 cm
et de 230 g environ chacun,
ou 1-2 bavettes de 750 g chacune
sel et poivre

1 Versez sauce de soja, xérès ou saké, huile, jus de citron, sucre, gingembre, ail, sel et poivre dans un plat creux dans lequel vous pourrez placer les steaks l'un à côté de l'autre.

2 Mélangez ces ingrédients, puis ajoutez les steaks. Retournez-les pour qu'ils soient couverts de marinade. Couvrez le plat et laissez reposer au frais ou au réfrigérateur pendant au moins 4 heures. Retournez les steaks de temps en temps.

3 Si la viande a mariné au réfrigérateur, sortez-la à l'avance pour qu'elle soit à température ambiante au moment de la cuisson.

4 Faites griller les steaks 15 à 20 cm au-dessus des braises du barbecue, pendant 5 minutes environ de chaque côté si vous les aimez saignants, 7-8 minutes pour qu'ils soient à point. (Pour la bavette, comptez 4-6 minutes de chaque côté, entre saignant et à point.) Badigeonnez de temps en temps avec la marinade.

5 Disposez les steaks sur un plat chaud et servez. Si vous avez pris des bavettes, découpez-les en diagonale en fines tranches.

Pour 4 à 6 personnes
Préparation : 10 minutes, plus 4 heures de marinade au moins
Cuisson : 10-16 minutes

Hamburgers classiques

500 g de bœuf maigre de la meilleure qualité
beurre ou huile
sel et poivre

Pour servir :
des petits pains ronds
coulis de tomates (voir p. 12)
feuilles de laitue
tranches de fromage

1 Salez et poivrez la viande hachée selon votre goût. Formez 6 steaks hachés ronds et plats. Si la viande est très maigre, graissez légèrement la grille du barbecue, la lèchefrite du gril ou la poêle avec un peu de beurre ou d'huile. La grille ou la poêle doivent être suffisamment chaudes pour que la viande commence à cuire dès qu'elle est posée dessus.

2 Faites griller les steaks hachés sur le barbecue, sous le gril du four ou à la poêle pendant 8-10 minutes, en les retournant une fois.

3 Servez dans les petits pains avec du coulis de tomates, des feuilles de salade et des tranches de fromage si vous le désirez.

Pour 6 personnes
Préparation : 10 minutes
Cuisson : 8-10 minutes

INDEX